ISBN 978-2-916947-62-4
Édité par ABC MELODY Éditions
www.abcmelody.com

Imprimé en République tchèque

Dépôt légal février 2011
Loi n°49-956 du 16 juillet 1949 sur les publications destinées à la jeunesse.
Direction artistique : Stéphane Husar - Maquette : Cécile Chemel

Où est mon chat?

Princesse Camcam

Ce matin, Mistigri le chat de Lola est parti.

Mistigri est sorti
par la fenêtre !
Je vais
le chercher !

Vite! Il est en train de sortir!
Dépêche-toi ma puce!
C
Qui veut du café?
Mistigri!

Lola court après son chat qui passe
sous le nez du gardien. Et hop, ni vu ni connu !

GERIE
PÂTISSERIE
ORIENTALE
30
TRAITEU
CHINOIS

Lola questionne le traiteur chinois, mais il n'a pas vu le moindre chat. Et toi, tu le vois ?

Bonjour jolie voisine!

Lola va jusqu'à Montmartre mais là non plus, pas de Mistigri !

À Barbès, Lola interroge les passants… Mais non, toujours pas de trace du chat.

18ème ARRt
BOULEVARD
BARBÈS
3
BAZAR
BAZAR
Allo?
Tata!
Attention,
j'arrive !!

Et dans le passage des Panoramas ?
Le chat n'y est pas. Pauvre Lola !

Epicerie fine
café
Vins & Primeurs
café
plateaux de fromages ou charcuterie
Un café s'il vous plaît !
Tout de suite !

Rue des Archives, voyons voir…
Non, là non plus, les gens ne savent pas. Oh là là !

Dodo,
l'enfant do
Quand il me prend
dans ses bras...
RUE
DES ARCHIVES
BRASSERIE
BRASSERIE
P

Lola traverse la Seine pour aller sur l'île de la Cité.
Mais non, encore une fois, le matou n'y est pas !

Embrassez-vous !
Mistigri !
Il y a un chat sur le bateau !

Sois sage
ma Joséphine !
J'aimerais tant
avoir un oiseau !
Il y a un chat là
sur le toit !

Au marché aux oiseaux, il y a des perruches, des canaris, des perroquets… Mais où se cache le minet ?
Oh look! What a beautiful bird!
Dis, tu n'aurais pas vu un chat gris?
Non. Par contre, u cherches un oiseau...

Tu veux mon gâteau l'oiseau ?
Bon appétit mon poisson !
FROMAGERIE
ISSONNERIE Ouvert de 8h à 19h
fromagerie
Vous avez vu un chat gris?
Ah non... Il n'y a pas de chat ici !
Par contre, si tu cherches un poisson...
J'ai vu un gros chat passer !

Allez Lola ! Dans le quartier Latin, c’est sûr,
Mistigri y sera. Tous ses copains habitent là !

GERIE
30
濠
TRAITE
CHINO

La nuit tombe, Lola !
Chat ou pas, il est l’heure de rentrer chez toi !

C

Mistigri, que mijotes-tu là ?
Lola donne sa langue au chat.

Mon Mistigri ! Je t'ai cherché partout !
Oh, regarde Lola ! Ton chat est là.
Et il a une petite surprise pour toi...

cui cui

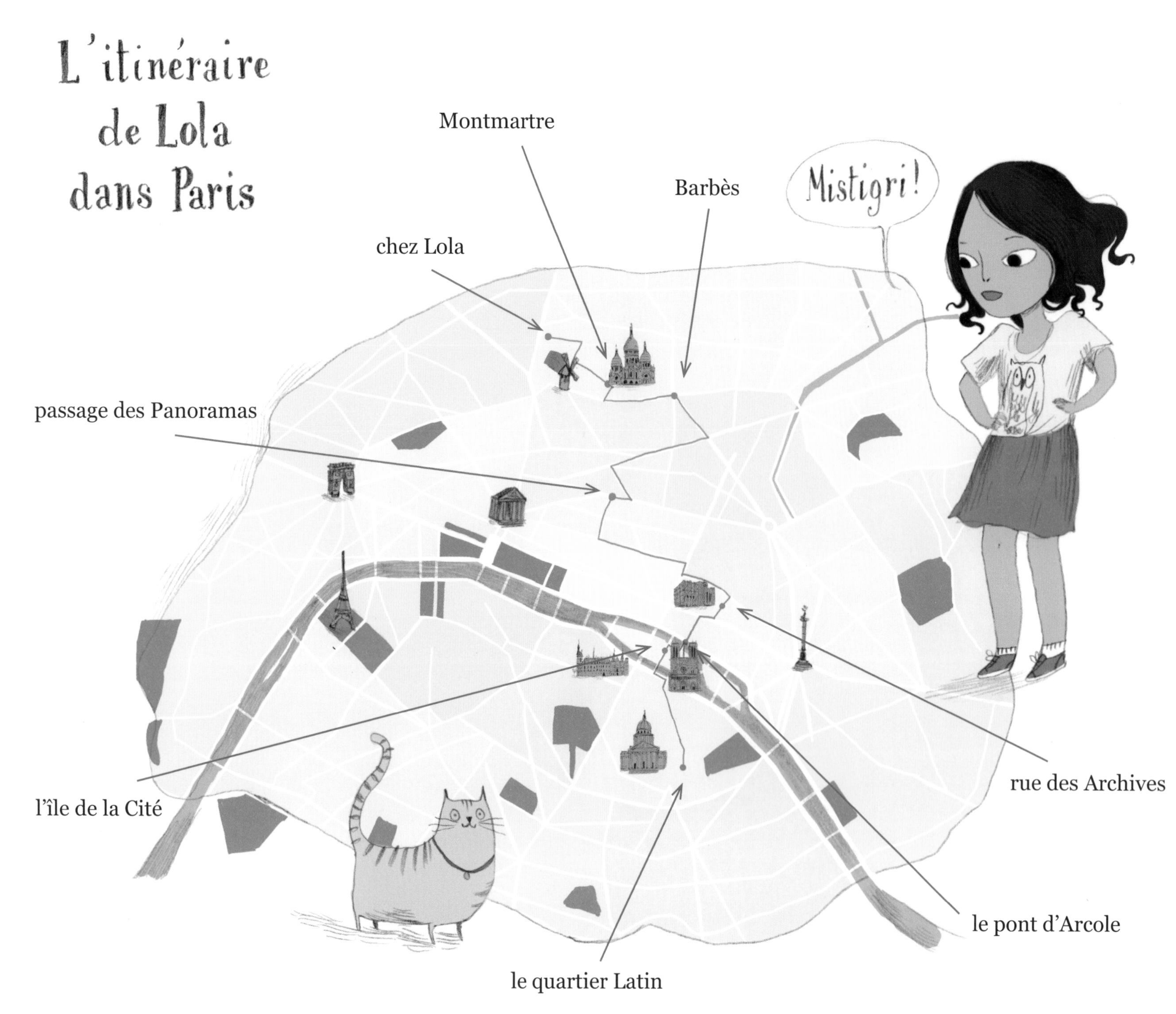
L'itinéraire de Lola dans Paris
Montmartre
Barbès
Mistigri !
chez Lola
passage des Panoramas
rue des Archives
l'île de la Cité
le pont d'Arcole
le quartier Latin

Voici les monuments et les lieux que Lola a pu apercevoir en cherchant son chat.
Les as-tu tous reconnus ?

• la tour Eiffel
(p 8)

• une station
de métro aérien
(p 11)

• le passage
des Panoramas
(p 12-13)

• Beaubourg,
centre Georges Pompidou
(p 15)

• Notre-Dame de Paris
(p 16)

• la Conciergerie
(p17)

• l'île de la Cité
(p 16-17 et 18-19)

• le Panthéon
(p 21)

TRADUCTIONS DES TEXTES EN LANGUES ÉTRANGÈRES

pages 6-7 :
Nǐ hǎo! Bonjour !

pages 12-13 :
I am sorry! I don't speak French! Je suis désolée ! Je ne parle pas français.

pages 14-15 :
Ich habe Hunger! J'ai faim !
Komm! Wir kaufen uns ein bisschen Obst. Viens ! On va s'acheter quelques fruits.

pages 18-19 :
Oh look! What a beautiful bird! Oh, regarde ! Quel oiseau magnifique !